Les Justiciers Masqués
présentent

Les mots dits du SPORT

info@lesmalins.ca

Éditeur: Marc-André Audet
Conception graphique et montage:
Energik Communications
Correction et révision: Caroline Beaulne
et Patricia Juste

Dépôt légal – Bibliothèque et Archives
nationales du Québec, 2009
Dépôt légal – Bibliothèque et Archives
Canada, 2009

ISBN: 978-2-89657-062-1

Imprimé au Canada

Les éditions Les Malins
5372, 3e Avenue
Montréal (Québec)
H1Y 2W5

Peuple, recueille-toi en lisant cet ouvrage devant une statue de Jésus muni d'un jackstrap, question de rendre un dernier hommage à feu le centenaire du Canadiens. Son cœur aurait arrêté de battre au début janvier 2009.

Pendant la pause du Match des étoiles, Carey Price dit à ses coéquipiers : « Prenez et buvez en tous, car ceci est de la bière, brassée pour vous. » Chapitre 3, verset 2, Plans de match selon Bob Gainey !

Oui, on peut dire que le Canadiens a fait une fausse couche des séries. Il est sorti prématurément. Au cours de la conférence de presse du bilan de saison, Bob Gainey a dit qu'il n'avait pas sa place derrière le banc.

Un peu comme si un médecin, devant le corps inanimé d'un homme qu'il n'a pu sauver, déclarait : « Ouais, ben, j'suis vraiment pas bon, c'est vraiment pas ma place icitte. » Un peu tard pour le constater. Qu'en penses-tu, mon Bob ?

Durant la dernière cène de la saison, un match contre les Pingouins, Carey Price dit à Crosby : « Avant que l'hymne national soit chanté, tu m'auras scoré trois fois. »

Repose en paix, Tricolore... Et bonne lecture !

Préface

Le Québec est hockey. C'est notre religion. Qu'on parle des années de Maurice Richard, de celles de Guy Lafleur ou même, plus récemment, du premier but de Ryan O'Byrne (dans son propre filet, mais quel but !), quand la saison de hockey débute, on dirait que tout le reste s'arrête. Et on n'a pas changé au fil des années : que le Canadiens nous offre un bon ou un mauvais spectacle, le Forum ou le Centre Bell a toujours été plein. Que les hot-dogs coûtent deux ou dix dollars, qu'ils soient chauds ou froids, avec un léger goût de carton à la moutarde, on en achète quand même ! Qu'on soit obligé, pour acheter de la bière, d'accepter l'offre « aucun paiement ni versement avant janvier 2011 », tellement elle est rendue dispendieuse, on en prend douze pareil ! Peut-être qu'on le fait pour oublier à quel point la dernière année a été pathétique dans le monde du sport !

Il fut un temps où tous les grands joueurs rêvaient de jouer pour le Tricolore. Surtout les Québécois. Eh bien, les amis, **c'est terminé !**

Aujourd'hui, les joueurs ne veulent plus systématiquement jouer pour la Sainte-Flanelle, au contraire. Trop de pression. Pourquoi ? Chers amateurs, rassurez-vous, on n'a rien à voir là-dedans. On a souvent rejeté la faute sur les médias. Jusqu'à cette année du centenaire de l'équipe, c'était une excuse. Quand tu joues dans le sud des États-Unis, personne ne se rend compte que tu te pognes le derrière. Comment pourrait-on le faire ? Y a pas un cristie de chat dans l'aréna ! Les gens sont bien trop occupés à allumer des croix et à s'accoupler avec leur cousine durant le Congrès républicain pour comprendre un sport dont le but n'est pas de « courir avec un ballon » ou... d'atteindre le premier la ligne d'arrivée dans une course de tracteurs !

Revenons au hockey... Pour la première fois cette année, **C'EST la faute des médias** ! Sans vouloir déclencher de polémique, on affirme que TOUS les déboires du Canadiens ont été causés par les journalistes sportifs eux-mêmes. Vous ne nous croyez pas ? C'est pas notre problème ! NOUS, on n'a jamais dit qu'on était des journalistes !...

D'abord, Jean Perron est soudainement passé de clown de service... à source crédible journalistique ! Comme disent les Allemands, **WHAT THE FUCK ?!**

Selon des informateurs anonymes, il a accusé... ATTENTION, ÇA VA FAIRE MAL... des joueurs du Canadiens de faire le party. **QUOI ?!?** Des joueurs de hockey qui profitent de leur statut pour entrer dans des bars et en repartir avec des groupies ?! C'était jamais arrivé avant ! Ça vaut la peine d'en parler pendant six mois ! Le tout en répandant n'importe quelle rumeur en ondes sans la vérifier, question d'avertir tout le monde, dans toute la ligue, que Montréal est une ville où la couverture du hockey frôle l'hystérie générale et la paranoïa collective !

Tout cela a atteint son point culminant le soir où les Bergeron, Demers, Perron, Pagé, Crête et autres ont commencé leurs émissions respectives en annonçant, quasiment au bord des larmes, que, le lendemain matin, le très sérieux journal *La Presse* révélerait une histoire qui ferait « trembler les colonnes du temple ». On a parlé d'affaire de viol (sans vérification ni preuve), on a parlé de consommation de cocaïne (sans vérification ni preuve), bref, on a annoncé aux amateurs que tout allait s'effondrer. Ou comme l'a dit Gabriel Grégoire, « s'effrond ». Et nous, les amateurs, on y a cru. Après tout, ne s'agit-il pas là de **« journalistes » sportifs** ?

Le lendemain matin, à grands coups de tambours et de trompettes, on a appris l'odieuse histoire : les frères Kostitsyn parlent au téléphone avec un gars de la pègre.

Point. **Wow.**

Ce n'était pas le scoop que nos « experts du sport » nous avaient annoncé ! Comment se rattraper ? Durant les semaines qui ont suivi, ils ont rapporté encore plus de rumeurs et on a entendu des phrases comme : « On le sait, mais on peut pas vous le dire. » Nos « journalistes » se sont transformés en véritables agace-pissettes du sport ! Le résultat : assez pour déconcentrer n'importe quel athlète et scrapper n'importe quelle saison. Imaginez celle du centenaire ! Oui, vous l'aurez deviné, on a encore le hot-dog au carton en travers de la gorge !

De deux choses l'une : soit on a pris les amateurs pour de vrais imbéciles question de remplir du temps d'antenne et de faire grimper les cotes d'écoute, soit... ce n'est pas facile à écrire... soit on a eu affaire à une véritable bande d'imbéciles qui ressemblent plus à des humoristes qu'à des journalistes. À des Justiciers Masqués qu'à des Patrice Roy ! Quelle honte ! Mais bon, vous comprenez ce qu'on veut dire ! Vous serez en mesure de forger votre opinion sur le sujet en lisant ce livre, car vous y trouverez de vraies déclarations provenant de différents médias montréalais. C'est vrai, on ne se fera pas d'amis mais, de toute façon, si on veut parler de sport, on a juste à se rendre dans n'importe quelle taverne remplie de soûlons à midi : leurs discussions sont plus cohérentes que ce qu'on entend dans certains médias sportifs. Et leur français, meilleur !

On a cherché loin dans nos contacts et demandé l'aide de Pierre Trudel, 40 ans d'expérience à *CKAC*, à *La Presse* et à *Radio-Canada*, entre autres, pour nous aider à confirmer la véracité et l'exactitude des déclarations que vous allez lire. Via sa chronique à *La Presse*, nos archives d'extraits radio et sa collaboration à une merveilleuse émission de radio appelée ***Le Sportnographe* (www.sportnographe.com)**, on publie les résultats de notre enquête.

Et nous, on a vérifié nos sources !

Les Justiciers Masqués
Sébastien Trudel
Marc-Antoine Audette

BENOÎT BRUNET

« Il a le désir du vouloir... »

- RDS, 2009, lu sur sportnographe.com

NOTE DES JUSTICIERS MASQUÉS : « Le désir du vouloir », c'est pas le titre d'un roman Harlequin, ça ?

Benoît Brunet est devenu l'analyste du hockey des Canadiens pour la saison du centenaire de l'équipe. Joueur de huitième trio sans formation professionnelle en communication, il a hérité de l'un des postes les plus prestigieux du monde du sport... **C'est comme si on prenait un acteur de *Lance et compte* pour les débats de *110 %*** ! Oups, mauvais exemple !

La *Soirée du hockey* est une véritable tradition québécoise, on s'entend. Ironiquement, les performances des joueurs ont été analysées par celui-là même qui avait de la misère à compter dix buts par année !

Et tout le monde a laissé la chance au coureur. Le résultat ? Vous le trouverez dans les déclarations qui suivent...

Benoît Brunet parlant de Tomas Plekanec :

« Quand t'es rendu sur la galerie de presse, à 150 pieds dans les airs, tu peux pas tomber plus bas. »

NDJM : Faux, il pourrait toujours être analyste à RDS.

Décrivant certains problèmes du Canadiens en situation de jeu :
« Ça devient frustrant pour une équipe qui aime pénétrer avec la rondelle en possession de la rondelle. »

NDJM : Les frères Kostitsyn aiment peut-être pénétrer, mais pas se faire prendre en possession de quoi que ce soit.

Le saviez-vous ?

LA STRATÉGIE KOSTITSYN = GAGE D'EXCELLENCE

Maintenant que toute la Ligue nationale sait que les deux Kostitsyn fréquentent la mafia, est-ce qu'un joueur adverse a le goût d'en rentrer un dans la bande ?

Quand tu es gardien et que tu vois Sergei arriver en échappée (bon, ça arrive pas souvent, là), est-ce que tu le laisses scorer ou tu demandes **à quelqu'un d'autre de démarrer ton char après la game** ?

C'est ce qu'il manquait aux Canadiens : **le respect.**
Au début de la saison, on disait que Georges Laraque allait protéger nos joueurs... Eh bien, on a trouvé beaucoup mieux : **le crime organisé** !

Pour imposer le respect dans la ligue, le Canadiens devrait se mettre à fréquenter du monde encore plus dangereux comme les motards, la mafia italienne et les organisations souverainistes radicales. Rien de mieux quand vient le temps de proférer des menaces : on aurait simplement à déguiser Ovechkin avec un chapeau de Wolf et il se ferait décapiter !

Au lieu de droper les gants et de se battre, Georges Laraque devrait donner le baiser de la mort et aller porter une tête de cheval sur le banc adverse comme dans *Le Parrain* !

Y a pas de panique, avec cette nouvelle stratégie, on va gagner la Coupe ! Pis si vous pensez qu'on fait fausse route, faites attention... on va donner votre adresse aux Kostitsyn !

Benoît Brunet prouve aux téléspectateurs à quel point il est pertinent d'embaucher un ancien joueur poche comme analyste... Pourquoi ? Parce qu'un vrai professionnel de la communication ne pourrait jamais autant connaître la game :

« Ça me surprendrait que le Canadiens perde ce match-là. »

NDJM : Le Canadiens menait 3-1, avec 4,7 secondes à jouer.

AVERTISSEMENT : Ce gag a été fait sans le consentement de Marc-Antoine qui ne connaît rien au hockey (mais qui ferait quand même mieux que Brunet à RDS) et qui croit encore que notre ami Benoît est celui qu'on surnommait « le Rocket ».

Alors qu'on se chamaille sur la patinoire, il y va de son commentaire percutant :

« On se calme du côté des deux côtés. »

NDJM : Il a raison, c'est important de voir les quatre côtés de la médaille.

NOUVELLE EXPRESSION : FAIRE UN O'BYRNE

Ryan O'Byrne a compté son premier but de la saison à domicile cette année... dans son propre filet ! L'expression s'est répandue comme une traînée de poudre (non, on ne fera pas de gag ici, y a pas de preuve !) : faire un O'Byrne. Un peu comme lorsque Jacques Parizeau fait des déclarations en campagne électorale : il « met sa propre équipe dans le trouble » ? Non ! Expression plus simple : il fait un O'Byrne !

Celui-ci a d'ailleurs déclaré par la suite : « Je ne sais plus jouer au hockey. »

On ne voulait pas le croire, mais quand on l'a vu arriver avec un jackstrap sur la tête et des palmes dans les pieds, on n'a pu que constater les faits ! O'Byrne embarquait sur la glace en se laissant tomber sur le dos comme un homme-grenouille et il portait un habit des Blue Jay's de Toronto !

Et pour ceux qui se le demandent : oui, c'est le même cave qui avait volé une sacoche l'année précédente.

Benoît Brunet décrivant l'intensité du match :
« L'adrénaline coule à flots. »
Puis la feinte d'un joueur :
« Il a le temps de prendre le temps. »

NDJM : Peut-être prendre de prendre le temps de prendre des cours de français…

Parlant des différents joueurs absents de l'alignement :
« Des fois quand t'es malade, t'es pas à 100%. »

NDJM : Mais quand t'es un malade, tu peux être à 110 %.

Le saviez-vous ?

LA « GRIPPE » DE CAREY PRICE

Le pauvre jeune homme a attrapé la grippe cette année, et il n'est pas le seul ! Plusieurs autres joueurs du Canadiens ont eu la « grippe la saison dernière ». On les a vus en ligne à la pharmacie, attendant leur prescription ! A H1N1, Canadiens 0.

C'est bizarre parce que, cette année, la grippe n'a pas l'air de faire couler le nez, mais plutôt de piquer solidement ! Sûrement une grippe exotique parce qu'ils parlaient tous d'une certaine Tiffany du Club Opéra ! Quant aux frères Kostitsyn, ils avaient effectivement le nez qui coulait, mais ils semblaient se moucher régulièrement avec des billets de vingt roulés. Toutefois il n'y a aucune preuve, c'était peut-être des Kleenex ©.

Ceci est une publicité payée.

Benoît Brunet faisant du Jean Perron :
« Le bonheur des uns fait le malheur des autres. »

NDJM : Mieux vaut tourner sa bouche sept fois avant d'ouvrir sa langue, Benoît !

Et ça recommence :
« C'est jouer pour le feu avec rien. »

NDJM : Après l'épidémie de gastro chez le Canadiens, épidémie de dyslexie à RDS !

« Il a des habiles habiletés. »

NDJM : Tsé là, quand un bon joueur est bon, bon !

Le saviez-vous ?

LE DOPAGE : PAS JUSTE AU HOCKEY

Il y a aussi un gros problème de dopage au curling et, là, on parle des spectateurs ! Selon nos calculs et nos expériences personnelles, il faut avoir pris du speed, de l'ecstasy ou des narcotiques lourds comme du Propofol pour être capable d'en supporter plus de dix minutes ! R.I.P. Michael Jackson.

Durant l'émission d'après-match du Canadiens, Benoît Brunet y va d'une analyse :
« Le match est terminé présentement, mais on sait qu'au hockey les matchs ne sont jamais vraiment terminés. »

NDJM : Et ton contrat, lui, y finit quand ?

« Ce fut une bonne fin de période, surtout en deuxième moitié. »

NDJM : Peux-tu être MOINS clair ???

Benoît Brunet et la poésie de l'automne :
« Ce trio-là est tout feu tout couleur. »

Avertissant les téléspectateurs de ce qu'il s'apprête à leur dire :
« Je vais me répéter au risque de me répéter. »

NDJM : C'est pas pour se répéter, mais quand est-ce qu'y finit, ton contrat ?

Parlant d'un jeune joueur :

« Stewart, lui, y aime ça, se frotter. »

NDJM : Dans le film culte Slap Shot, c'était inspiré de lui, le « champion de la masturbation ». Si vous ne comprenez pas de quoi on parle, c'est peut-être parce que…
TA FEMME, C'T'UNE LESBIENNE !

Puis d'un autre :
« Lapierre a créé ça avec explosion. »

NDJM : Maxim et Jack Bauer, même combat !

QUESTION QUIZ :

Avec combien de joueurs de hockey Elisha Cuthbert de 24 heures Chrono a-t-elle couché ?

Elisha Cuthbert, la jeune et jolie blonde qui joue le rôle de la fille de Jack Bauer, est très active avec les joueurs de hockey professionnel. Selon nos longues recherches sur Google Images, elle serait sortie avec Mike Komisarek, Sean Avery et maintenant Dion Phaneuf. Ça reste un mystère, mais ce n'est sûrement pas un hasard si les Flames de Calgary, le deuxième trio des Stars, les recrues des Panthers et le club-école de l'Avalanche se sont rencontrés à la Clinique l'Actuel... Ou c'est encore un vilain cas de grippe !

Benoît Brunet nous parlant de ses goûts intimes sur Internet :
« C'est pas facile à voir de cette langue. »

Un homme logique :
« Faut que ça descende en ordre croissant. »

Dans la catégorie « Révélations » :
« Le mot se parle à travers la ligue. »

NDJM : Oui, c'est le mot « poche », et on ne dira pas de qui ça parle.

Dans la catégorie « Le programme sport-études est un échec lamentable au Québec » :

« Le Canadiens a égalisé la marque en toute fin de période... à 12:36 exactement. »

NDJM : Voir note plus haut.

« Si y a un trio que c'est à eux que tu veux pas que ça arrive, ben c'est à eux. »

NDJM : Exactement, pis si y a quelqu'un avec qui je suis d'accord avec toi, ben c'est toi.

Attentif :
« Encore beaucoup de partisans des Leafs à Montréal. »

NDJM : Benoît, le match avait lieu à Toronto. Rigueur, rigueur, rigueur !

« C'est en avantage numérique ousque... (long silence) »

NDJM : Cela n'est que l'une des 573 phrases que Brunet n'a jamais terminées cette ann...

« On va maintenant voir si les Rangers sont capables d'élever leur cran d'un jeu. »

NDJM : Pas de trouble : j'vais prendre ma télévision et éteindre ma télécommande !

« Il n'a pas le jeu de temps de glace. »

NDJM : Tab»/$$&* !

« Les Sénateurs cherchent à égalire la marque. »

NDJM : Parlant de sénateur, au moins Jacques Demers a l'excuse de ne pas être allé à l'école, lui !

Dans la catégorie « La phrase la plus entendue cette année avec une moyenne de 34 fois par rencontre » :
« Chus d'accord avec toi, Pierre. »

« Échafourée... »

NDJM : Aucune idée de quoi il parle, mais on ne savait pas que les joueurs étaient aussi dépravés dans l'intimité.

« Ce matin, à l'entraînement matinal. »

NDJM : Ce soir, au hockey du samedi soir, j'vais perdre ma soirée à écouter des commentaires insignifiants.

Benoît Brunet, futur coach :
« Ta défensive est ta meilleure défensive. »

Les dangers de la Ligue nationale :
« Quand t'a r'gardes... quand y'é te r'venu... après sa commotion célébrale... toutes les joueurs... (silence) »

NDJM : S'il y a un sujet qu'il connaît, c'est celui-là !

Parfaitement « fluant » en russe :
« SœurGuay » (Kostitsyn)

« S'ils ne ressussent pas… »

NDJM : T'as juste à suivre les joueurs au Club Opéra, Benoît.

« C'est abobinnant... »

NDJM : Il décrit probablement sa première saison à RDS.

CECI EST UN ESPACE PUBLICITAIRE PAYÉ

Tu rêves d'être dans le monde des médias et tu n'as aucun talent ? Parfait, tu as tout ce qu'il faut pour devenir chroniqueur sportif. Mets-toi une surabondance de gel dans les cheveux, achète-toi une cravate laide et bingo ! tu as maintenant un emploi à RDS* !

**Veuillez ne pas appliquer si vous savez parler français ou avez plus de 14 mots de vocabulaire. Vous devez pouvoir vous débrouiller avec : puck, t'as un bon point, net, cross-check, pis Plekanec. C'est quoi, le rapport ? Aucune idée, mais si c'est bon pour Benoît Brunet, c'est bon pour vous !*

JACQUES DEMERS

« Je viens de faire un "demersisme". »

Tout le monde aime Jacques Demers. Comment ne pas admirer le courage de cet homme qui a dû non seulement surmonter des épreuves horribles dans son enfance, mais aussi faire son chemin dans la vie en ne sachant ni lire ni écrire ? Et quelle vie ! Il a été un grand coach en gagnant la dernière Coupe du Canadiens, et il a aussi été nommé... sénateur ! Et ce n'est pas tout, Bertrand Raymond a rapporté dans *Le Journal de Montréal* que Demers, voyant une femme se faire attaquer par des voyous dans une station-service, s'est porté à son secours en se battant lui-même avec les agresseurs. Incroyable, il a plus de 60 ans !

On a donc le plus grand respect pour Jacques Demers, surtout qu'il a un excellent sens de l'autodérision. Que ce soit avec divers interlocuteurs dans le cadre de ses chroniques à la radio ou en tant qu'invité à notre émission, il rit de toutes les blagues... et s'étouffe généralement quelques secondes plus tard !

Bref, on a un grand respect pour cet homme et on a choisi de l'intégrer dans ce livre parce qu'il est très présent dans le monde des médias... et force est d'admettre qu'il en sort des bonnes... et ce, même si c'est habituellement involontaire !

On t'aime, Jacques, et si tu lis ceci, dis-toi que... Ah, c'est vrai... En tout cas, vous lui ferez le message !

Jacques Demers comparant le travail des deux équipes :
« Le Canadiens a travaillé fort, mais la meilleure équipe était définitivement sur la glace. »

NDJM : Bon, ça y est, les joueurs de Montréal ont encore foxé le match pour aller au Club Opéra !

À la surprise générale, Jacques Demers est nommé sénateur par Stephen Harper et, rassurons-nous, ce n'est pas une nomination partisane pour essayer de téter les électeurs québécois. C'est la compétence qui prime dans les choix, et le Sénat n'est pas du tout une perte totale de temps, d'argent (le nôtre !) et une honte en temps de crise économique.

« Je ne me croyais pas capable de travailler dans ce genre-là. Dans l'éducation pis toute ça. »

NDJM : Stephen Harper n'est pas d'accord avec toi, Jacques !

On demande à Jacques Demers, aux Amateurs de sports *de CKAC, comment il compte participer à l'adoption des projets de lois :*
« J'en ai parlé à mes patrons à RDS. Je ne veux pas avoir une figure avec une bague de la Coupe Stanley au Forum. C'est sûr que je vais avoir du travail à faire... C'est nouveau pour moi, là. »

NDJM : Si le Sénat avait vraiment du pouvoir, les décisions pourraient être prises par les mêmes génies qui ont choisi le décor de L'antichambre !

NOTE DU SÉNATEUR JEAN LAPOINTE : Ouais, mais c'est vraiment drôle à écouter en fumant un bat !

Dans la même entrevue, on demande à Jacques comment il voit son assermentation :
« Moi, comment je vois ça, c'est que j'vas mettre ma main sur l'affaire là... pour assermenter... »

Parlant de Latendresse qui se retrouve souvent sur le banc :

« Guillaume Latendresse a de plus en plus de moins en moins de temps de glace. »

NDJM : Et vous commencez de plus en plus à être de moins en moins cohérent, monsieur le sénateur !

En s'esclaffant, avant de s'étouffer :
« J'ai le fou de rire. »

Donnant raison à Benoît Brunet :
« Je suis encore plus d'accord avec ce que tu viens de dire qu'avec ce que j'ai dit, Benoît. »

NDJM : Si Benoît vient de déclarer qu'il prend sa retraite du monde des communications, nous aussi on est d'accord !

L'INCIDENT CAREY PRICE VS LA FOULE DU CENTRE BELL

Au cours du dernier match, Carey Price a levé les bras en l'air après des huées, rappelant à tout le monde l'incident qui a sorti Patrick Roy de Montréal. Mais la question demeure : pourquoi, oui, pourquoi, a-t-il levé les bras en l'air ? Simple ! Pendant une seconde, il a vu un policier dans la foule et il croyait qu'on avait saisi ses cigarettes de contrebande.

Jacques Demers s'exprimant sur l'état physique des hockeyeurs :
« Les joueurs sont en position de leurs moyens. »

Parlant de l'entraide dans la Ligue nationale :
« À un certain moment, l'ascensoir te revient. »

NDJM : J'm'en vais souper chez ma belle-soir ce sœur… À moins que ce ne soit l'inverse ?

Insistant :
« C'est une lacune importante, mais aussi très importante. »

NDJM : Ça veut rien dire, mais ça veut vraiment « très » rien dire !

Parlant des médias :

« Il l'a appris face-à-face. Il l'a appris par la presse électrique. »

NDJM : Faut juste pas prendre ton bain en lisant le journal !

Il n'a pas l'air d'apprécier le monde de Verdun :

« Quand tu vas dans des places au Québec, t'es traité, reçu comme un roi. Y a pas de BS. Ce sont des gens sincères, humains. »

Affirmatif :
« Je suis saturé que Bob Gainey en place, ça n'arrivera plus. »

NDJM : Si vous avez compris ce qu'il voulait dire, écrivez-nous à : justiciers@office_de_la_langue_française.com.

Sur la robustesse de Bob Gainey :
« Bob Gainey est un joueur qui a déjà joué les deux épaules séparées. »

NDJM : La séparation a été dure, mais on ne peut pas en parler publiquement : appelons une de ses épaules Éric et l'autre Lola !

Jacques Demers et les nouveaux proverbes :

« Rentre comme tu voudras, y sont en séries. Qui viendra viendra. »

NDJM : « Qui viendra, viendra » est également le titre d'un nouveau film au canal Indigo...

« Quand on me fait une confidence sous le sceau de la confidentialité. »

NDJM : Avec lui, tu peux être sûr que ton secret va rester secrètement secret, mais dis-le pas à personne !

Revitalisant la langue française :
« Y a pas un ego excentrique. »

Dans la catégorie « C'est pas ça, mais on comprend exactement c'que tu veux dire ! » :
« On s'en fout comme la quarantaine. On s'en fout comme dans quarante. »

Dans la catégorie « Voyons, y en arrache donc ben ! » :
« Il a viré le de au jo... le deux au jo... le jeu au dos. »

Nous parlant de la Ligue nationale :

« La division Chuck Norris... »

NDJM : La division Chuck Norris est bien sûr la division en séries, lorsque les joueurs se laissent pousser une grosse barbe rousse et se mettent à faire du karaté sur la glace, tout en libérant des prisonniers au Viet-Nam.

« Kosbotuboulos... Kosbotoulos... Kostopolice... Kostolopolopos... on se r'prendra demain. »

NDJM : Bel esprit sportif, Jacques. L'important, c'est de participer.

Au sujet de Pat Burns :
« C'est un ours, il est fort comme un cheval. »

Jacques Demers aime les nouveaux règlements de la Ligue :
« Fantastique que les matchs puissent se rendre en fusion. »

NDJM : Bulletin spécial : Hier, y a encore eu une grosse fusion à Montréal-Nord.

Nous parlant de pénis :

« Je l'ai vu hier, y'é amanché comme un cheval... ouais... je vas recommencer ça. Je suis masculin, moi, pas féminin. »

NDJM : Jacques Demers se tient dans les douches du Centre Bell ou dans les toilettes du Club Opéra.

Dans la catégorie « Hein ? » :
« C'est la transaction où la différence a tout simplement eu lieu. »

NDJM : Voir adresse courriel mentionnée à la page 59.

Parlant des frasques hors glace des joueurs du Canadiens :
« Y a enquête sous roche. »

NDJM : Ne vous inquiétez pas, Claude Poirier mène l'anguille. Pis y vous fait dire de ne pas lui laisser des messages pour rien sur sa boîte vocale. Arrêtez de l'appeler pour des remboursements d'albums de Frédéric de Granpré. Il ne jouait qu'un RÔLE dans Le Négociateur.

Cela conclut le chapitre sur Jacques Demers. D'ailleurs, on a décidé de lui laisser une page complète de ce livre pour qu'il puisse saluer nos lecteurs:

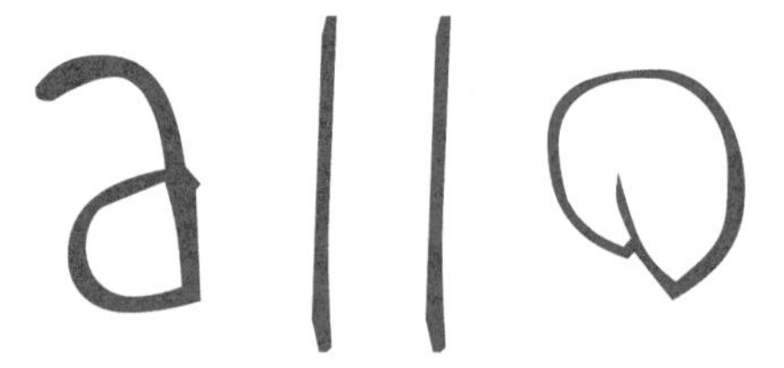

LA LNH ÉCLABOUSSÉE : Le Golden Shower de Ron Fournier

Ce que vous vous apprêtez à lire est véridique. Les noms et les mots n'ont pas été changés. Toute ressemblance avec une personne réelle est normale, puisqu'on a entendu Ron raconter tout cela lui-même à la radio. On a tellement aimé ces déclarations qu'on les a repassées au moins 15 fois dans notre propre émission. En plus, ça nous a évité de travailler ces jours-là ! Aucun sketch humoristique ne pouvait de toute façon rivaliser avec l'anecdote de celui qui livre tous les soirs le meilleur show de radio en ville, en plus d'être un des gars les plus gentils du milieu, Ronald « Salut mon Ron » Fournier. Les Cowboys Fringants lui ont rendu hommage, c'est une véritable star médiatique, et on tenait à lui réserver un chapitre.

Au mois d'avril dernier, Ron, notre idole, a raconté en détail son initiation dans la LNH. Aucun auditeur n'était préparé à ce qui allait suivre. On savait déjà que la Ligue tolérait les tentatives de meurtre et le racisme (en fait, pas vraiment le racisme, juste quand un francophone se fait traiter de « *fucking frog* »), mais on n'imaginait pas que ça allait aussi loin.

Voici la fabuleuse anecdote de Ron Fournier :

« J'arrive au camp d'entraînement, et on me dit : "Écoute, Ron, fais ben attention, y en a seulement un qui peut initier un jeune et il l'a fait avec tous les officiels avec lesquels il a travaillé, c'est Art Scove." "Ha, j'ai dit, initié, il fait quoi ? Il me sort, il me pacte la grise ?..." "Non... Il va... te pisser dessus." »

Oui, je sais, vous êtes sous le choc. Mais l'histoire ne s'arrête pas là !

« "Il va faire pipi le long de ta jambe... Il le fait de façon très amicale, et c'est sa façon de te dire bienvenue dans la Ligue nationale." »

Il faut croire que tout de suite Ron s'est dit que cet homme était un gros dégoûtant !

« Tsé, quand tu dis un bon gars, un maudit bon gars. »

Oh boy, si ça c'est les bons gars dans la LNH ! Vite, la suite !

« Là, je me dis : "Quelle sorte de maudite ligue que c'est ça, c't'affaire-là ? Toute ma vie, je veux rentrer dans Ligue nationale, pis la première chose qu'on me dit, c'est : 'Attention, y a un gars qui va te faire pipi dessus.'" »

Heureusement, tout est bien qui finit bien… Non ?!

« Je prends ma douche, pis je me dis : "Y va me faire pipi dessus, alors je laisse le rideau entrouvert." Il est assis, il est en train de mettre ses patins. Je referme le rideau... Y avait une chaleur le long de ma jambe. Croyez-le ou non, en patins, le vieux Art avait glissé son p'tit pipi juste entre les rideaux... Pis y avait fait un p'tit pipi sur Ronald. »

C'est officiel : Robert Gillet veut devenir arbitre.

« Je pars à rire, pis j'y dis : "Câline, comment t'as faite pour te lever aussi vite, pis venir aussi vite, pis faire pipi sur Ronald ?" Et là, il m'a regardé dans les yeux et il m'a dit: "*Good luck, son. Welcome to the NHL.*" »

Et on se demande pourquoi les arbitres sont tout le temps fuckés sur la glace ! Dire qu'y en a qui disent que c'est une ligue toute croche !

ET UN PEU DE RON FOURNIER EN BONUS !

Sur le travail de Laraque, il est excessivement clair comme d'habitude :

« Georges, t'as fait pas la maudite calvasse de job ! Right ? Travaille comme un chien. Gagne tes épaulettes. Sors du sauna, pis bonne chance. »

NDJM : Nous z'autres, on a peur de Laraque, alors s'il fréquente les saunas, c'est SON droit et c'est sûrement pas nous qui allons faire une blague là-dessus. Voir la fin de ce livre pour l'adresse du bureau de Ron.

Il nous parle de Koivu... et a le mérite, encore une fois, d'être clair !
« Y marque deux buts, le citronnelle de tas slaque ! Plante donc ta maudite pancarte Sutton devant ta maison, pis fais donc ça vite. C'est fini, le niaisage. Débarrasse, Armand ! »

« Le public va corroborer mes dires... ou dire autre chose. »

« Le Canada tire de l'avant. »

S'adressant à Sergei :
« Écoute ben là, toé là, toé la crotte de nez là, toé là. »

« Grabowsky patine mieux que Latendresse en ce moment, mais il ne vaut pas de la crotte. »

NDJM : Ça commence à être une obsession !

« Tu peux pas faire d'la salade de poulet ac' du caca d'poulet. »

NDJM : C'est ça, le fameux secret du Colonel !

Dans la catégorie « Cent pour cent d'accord avec toi, mon Ron ! » :

Au sujet de l'aréna Réjean-Tremblay à Falardeau : « Un aréna ? Une épicerie, j'dis pas, mais un aréna ? »

OVECHKIN CONTRE BRISEBOIS ?

Le vaillant Patrice a pris sa retraite mais, l'an dernier, les rumeurs d'échange allaient bon train sur les ondes des stations de sport...
Honnêtement, si on était Bob Gainey et qu'on nous offrait ce que les auditeurs de Ron proposent sans arrêt dans les tribunes téléphoniques, notre réponse serait évidente ! On échange Ovechkin contre Brisebois ?! Si on était Bob, on dirait : « Non ! » et on retournerait être laid dans notre bureau ! Patrice Brisebois a gagné la Coupe. Ovechkin ? Un gros zéro. Avantage Brisebois !

LA RADIO ET LA TÉLÉ SPORTIVES

« J'aimerais bien pouvoir dire quelque chose de plus intelligent, mais chus pas vraiment capable. »
- Joël Bouchard, RDS

Remplir 24 heures de programmation avec du sport, c'est possible à Montréal ? Même quand on n'a plus les Expos et que les gens s'intéressent principalement au Canadiens ? La réponse : NON ! Ce qui n'empêche pas RDS, RIS et CKAC de le faire. Avec des parties de dards traduites, des concours de caniches et ben, ben des reprises !

Par contre, CKAC a le mérite d'être devenue la première station montréalaise à vocation uniquement sportive. La première station francophone en Amérique du Nord est donc devenue... la première station à boucher du temps avec des discussions sur les changements de trios et des engueulades entre gars agressifs qui s'expriment dans une langue rappelant vaguement le français.

Le tout, bien entendu, en remplissant sa programmation d'anciens joueurs et d'amateurs qui ont gagné des concours pour devenir animateurs. Le résultat ? En deux mots : hila-rant.

JEAN-CHARLES LAJOIE : UN GARS HONNÊTE

« C'est sûr que je suis cave. »

Animateur à CKAC, Jean-Charles Lajoie a obtenu son emploi à la suite d'un concours.

Dans la catégorie « Ça sent bizarre dans la station de radio » :

« Je flatule de bonheur. »

NDJM : Ça nous fait chier de joie !

Dans la catégorie « Jean Perron a de la sérieuse compétition » :
« Je ne sais pas quelle vache vous a piqué ? »

NDJM : Ce matin, j'ai bu un bon verre de lait de mouche !

CARBO ET SES TRIOS

Plusieurs ont reproché à Carbo ses changements de trios. Erreur ! Le problème n'est pas qu'il y en avait trop, mais bien pas assez ! On aurait mis Price au centre, les défenseurs aux ailes, les avants en défense et Koivu dans le but. Tout aurait été à l'envers et l'équipe adverse aurait eu le réflexe de compter dans son propre but... excusez-nous !... de faire un O'Byrne !

Et d'autres ont reproché à Carbo de réunir Kovalev et Koivu. C'était pourtant le plan parfait : ils sont comme deux ex : ils ne s'aiment pas la face, mais quand vient le temps d'une p'tite vite, c'est un duo efficace, rapide, pis, après la douche, tout le monde rentre à la maison ! Tant qu'il n'y a pas de sentiments, ce n'est pas compliqué !

Dans la catégorie « Jean-Charles Lajoie repeuple le Québec » :
« Ça prend un coup de semence. »

COMMENT LANCER UNE RUMEUR À MONTRÉAL : UN GUIDE PRATIQUE

L'année dernière, tous les journalistes sportifs sans exception annonçaient une nouvelle à propos du Canadiens qui allait avoir l'impact d'une bombe. Finalement, il s'agissait seulement d'un pétard mouillé pour faire mousser les cotes d'écoute ou le lectorat.

Les journalistes disent n'importe quoi sur les joueurs, et on se porte à la défense de nos Glorieux en combattant le feu par le feu.

Voici des rumeurs totalement inventées, à propager partout dans la ville, concernant les journalistes sportifs :

Le coiffeur qui fait la teinture de Bertrand Raymond est daltonien !

Bergeron est alzheimer depuis 25 ans et se promène dans les couloirs du Colisée en cherchant Peter Stastny !

Le professeur de diction de Jacques Demers se saoule avec Price pis Higgins pour oublier son échec.

Benoît Brunet n'a pas manqué d'air seulement à la naissance, il en manque aussi régulièrement pendant ses chroniques à RDS parce que son col de chemise est trop serré !

Lecavalier viendrait à Montréal dans un échange envoyant Michel Villeneuve à Tampa Bay ou plus loin si possible !

Quand Gabriel Grégoire tourne la tête trop vite, on peut entendre le même son que celui que fait une cenne noire dans une sécheuse en marche !

On surnomme Jean Perron « l'Obélix du sport » parce qu'il est tombé dans un tonneau de scotch quand il était petit !

Ça fait quatre ans que Ron Fournier est sur « repeat », pis personne s'en est aperçu.

L'habilleuse de l'émission nous donne un aperçu de son état dépressif en choisissant les chemises que porte Alain Crête !

Pour encourager les jeunes à ne pas prendre de drogue, ce n'est pas un livre que Dave Morissette aurait dû publier, c'est la retranscription de son vocabulaire pendant ses chroniques.

Même s'il le reproche aux joueurs du Canadiens, Marc de Foy sort dans les bars lui aussi. L'avantage, c'est qu'y a pas de danger qu'il se fasse prendre en photo dans une pose compromettante avec qui que ce soit !

Jean-Charles Lajoie en arrache :
« La mémoire est une difficulté qui oublie. »

NDJM : En effet, elle oublie de faire des phrases cohérentes.

Dans la catégorie « Jean Perron a de la sérieuse compétition, partie 2 » :

« Il n'y a pas de rumeurs sans feu. »

LES SORTIES DES JOUEURS DU CANADIENS

On a appris cette année que, dans une tentative désespérée pour souder l'équipe, Guy Carbonneau a emmené ses joueurs au bowling, mais aussi au cinéma.
D'ailleurs, Carey Price est arrivé le premier dans la file, mais tout le monde a réussi à se faufiler... L'habitude de tout laisser passer ! Les joueurs ont été obligés de raconter le punch final du film à Carey parce qu'il s'est fait sortir avant la fin et remplacer par Halak... Somme toute, Carey et Laraque auraient préféré aller au cinéma *L'Amour* parce que, là aussi, ils auraient été collés sur le banc... Ce qui nous amène à ceci :

CONSEIL DE SANTÉ À CAREY PRICE

On a remarqué que Price boit une gorgée de Gatorade après chaque but qu'il se fait compter. Toujours vigilants quand il est question de santé, les Justiciers Masqués lui conseillent de cesser cela immédiatement : avec le sucre qu'y a là-dedans, ça ne sera pas long avant qu'il développe une forme grave de diabète.

Dans la catégorie « Ferme donc ta yeule, pis parle de sport », Jean-Charles Lajoie commente la parade gaie :
« Tu regardes les nouvelles et, là, tu vois une autruche apparaître en train de t'expliquer que c'est pas facile d'être gai... Ha ! ha ! ha ! Alors, peux-tu t'habiller comme du monde, t'as l'air d'un pélican, pis tu viens me dire que c'est pas facile. »

NDJM : Le très engagé socialement Jean-Charles Lajoie soutient à sa façon la cause homosexuelle. Après tout, c'est lui qui passe son temps à parler de gars et d'échanges entre hommes.

Dans la catégorie « On ne lance pas de pierres quand on vit dans une maison de verre » :

« Ce que je dis, c'est qu'on se complaint dans une espèce de médiocrité. »

NDJM : Ça s'appelle Solide comme le rock, tous les jours de 13 h à 15 h 30.

Plus réaliste que jamais :
« Tsé, des fois, on se trompe plus souvent qu'on a raison, particulièrement moi, là. »

DÉBAT :

BOB GAINEY DEVRAIT-IL ALLER CHERCHER LECAVALIER ?

Franchement ! La réponse est : bien sûr que non ! S'il veut venir à Montréal, qu'il prenne l'avion ou qu'il revienne avec le livreur de St-Hubert, mais pas question qu'on aille le chercher. Bob Gainey a-tu l'air d'un chauffeur de taxi ?

Dans la catégorie « Utilise pas un mot si tu ne sais pas ce qu'il veut dire » :
« En plus, Bégin, on s'est éberlué à le faire jouer à gauche. »

NDJM : L'autre jour, j'étais en train de tarabiscoter du beurre de pinottes sur mes toasts...

« C'est incroyable, c'est une espèce de prémunition que tu as eue... »

NDJM : Jean-Charles, quand tu vas à la chasse, n'oublie pas de faire le plein de monitions.

GABRIEL GRÉGOIRE : LE NOUVEAU KING DE LA BOUTADE

« Tu fais pas un papillon avec une mouche à marde. »

Ancien joueur des Alouettes, Gabriel Grégoire est maintenant coanimateur de l'émission matinale de CKAC. Habitué des émissions de sport à la *110 %*, c'est un bonhomme extrêmement sympathique qu'on a eu l'occasion de rencontrer à plusieurs reprises. Marc-Antoine s'est même retrouvé en vacances au même endroit que sa famille et lui, et a pu constater à quel point c'est un bon gars. Fait méconnu, sa famille possède un restaurant de poutine qui, dit-on, est la meilleure de toute la région métropolitaine. En plus, comme il est vraiment plus gros que nous et qu'il pourrait nous tuer avec son petit doigt, on tient à écrire qu'on l'aime beaucoup... et à proclamer officiellement ici qu'il a clairement ravi à Jean Perron le titre de roi de la boutade.

Gabriel Grégoire à son meilleur :
« La prédiction, c'est presque une science exacte où on calcule, on statistique. »

Durant une discussion dans son émission matinale, il fait aussi preuve d'une naïveté émouvante:
« C'est qui, Lulu Berlue ? »

NDJM : C'est le frère de Lady Gaga.

« Un mieux vaut que deux tu l'auras. »

NDJM : La maladie de Benoît Brunet se répand. Oublions la grippe A H1N1, il y a une pandémie de dyslexie chez les chroniqueurs sportifs !

Un conseil pour Bob Gainey :
« À talent égal, tu repêches le meilleur. »

LE PLAN QUINQUENNAL DE BOB GAINEY

Bob Gainey a échangé Steve Bégin contre Doug Janik, un solide joueur ayant atteint le plateau psychologique des 3 buts en 159 matchs.

On ne le connaissait pas avant mais, à moins d'être arrivé à Montréal avec le tronc assis sur un skate-board, il n'avait pas d'excuses pour avoir des statistiques dignes de Kenny.

Bob ne s'est pas arrêté à Janik. *Eye of the Tiger !* L'œil du veau. Bob est allé chercher au ballottage Glen Metropolit, le joueur de format géant de 5 pieds 10. Pour ceux qui ne savent pas ce qu'est le ballottage, c'est un peu les poubelles de la Ligue nationale. Dans le fond, Gainey est l'itinérant des directeurs généraux. Il fouille dans les vidanges et il ramasse la scrappe des autres équipes. D'ailleurs, si vous voulez lui parler, rendez-vous à côté d'un abri d'autobus, il est en train de ramasser des botches de cigarettes.

Notre problème, c'est que le gars s'appelle Glen . Il est à un « r » près d'être un organe génital ! Il y a des enfants dans la foule, Bob. Irais-tu chercher un gars qui s'appelle Moune ou Fagin ? C'est ce qu'on pensait !
Glen avait à ce moment précis 4 buts en 55 matchs. On peut commencer à utiliser le mot « fougueux ».
Mais on a compris ce que Bob Gainey avait derrière la tête. Il voulait tout simplement recréer le film *Les Mightys Ducks 1* avec Emilio Estevez. Ramasser un groupe de joueurs pourris pour surprendre tout le monde et gagner la finale avec une musique qui nous fait pleurer à la fin !
Fini les stratégies offensives, fini la trappe : on fait le grand V. Si ça marche dans un film de Walt Disney, ça doit être bon pour le Canadiens.

Gabriel Grégoire, à propos de l'histoire des frères Kostitsyn :
« On engage des gens pour faire de l'écoute électronique et de l'écoute visuelle. »

« Les conditions que Rozelle a mis sur Michael Vick falicitent, falicitent pas les joueurs. »

Voulant en savoir plus sur les jeunes, il pose cette question à Jonathan Roy, venu faire la promotion de son album :
« Vous autres, ta génération, on est-tu des dinosaures un peu ou ça clique au niveau d'éthique. »

NDJM : La réponse de Jonathan a été : « HAN ?? »

Confirmant qu'il n'est pas un extra-terrestre :
« J'ai une question d'humain, pis je veux en parler avec vous. »

Dans la catégorie « À ajouter au Petit Robert *» :*
« C'est inacceptable que d'avoir réglétégré ça. »

À la suite des scandales qui frappent le Canadiens, Gabriel Grégoire résume l'année du centenaire mieux que quiconque avant lui :
« Pis là, toute s'effrond, toute s'effrond. »

Un classique.

PAS LE DROIT DE HUER PRICE

On est d'accord avec les journalistes sportifs de RDS payés par le Canadiens qui ont dit en majorité qu'on n'avait pas le droit de huer Carey Price... Heille, ce n'est tout de même pas comme s'il jouait dans une équipe de hockey professionnelle : il joue pour un club qui a gagné 5 séries en 16 ans et qui met Georges Laraque sur un premier trio. Le gros Georges atteignait un grand total de deux passes dans la saison et aurait sans doute eu de la misère à suivre Marc Messier dans *Les Boys*... Ce qui nous amène à dire que si les Canadiens recherchent un gardien d'expérience, ils devraient appeler Paul Houde.

Quant aux langues sales qui disent que certains joueurs étaient trop sur le party, on répond : Pardon ??? C'était le centenaire, les joueurs avaient le droit de fêter ça !

Finalement, au sujet du film du centenaire, il sera finalement classé dans la catégorie « horreur ».
C'est comme *Titanic*, on sait à l'avance que ça finit mal.

LE FILM DU CENTENAIRE = TITANIC

Comme d'habitude, les canots de sauvetage sont pour les joueurs et les entraîneurs, pendant qu'on rit des 21 273 spectateurs de troisième classe qui ont payé le gros prix pour embarquer dans le bateau, pis qui ne sont pas assez importants pour qu'on s'en soucie !

JOËL BOUCHARD

Ancien joueur, Joël Bouchard est maintenant un des analystes les plus en vue de RDS, et il représente à lui seul la moitié du chiffre d'affaires du gel à cheveux Vidal Sassoon.

« J'ai pas inventé l'eau chaude. »

« Avec ce congé, le Canadiens risque d'avoir le focus rouillé. »

« C't'important d'être penché, d'être inclinaisé. »

« Là, on se contera pas de cachettes. »

Brillant :
« Dans le fond, Laraque est comme Gretzky, mais complètement différent. »

Le saviez-vous ?

LARAQUE VS GRETZKY, LES STATISTIQUES PARLENT D'ELLES-MÊMES

D'abord, mettons une chose au clair : Georges Laraque est un dieu. Le gars a eu une saison de deux passes ; il méritait nettement d'être sur notre premier trio en séries. À ce rythme-là... et on peut utiliser le mot « effréné »... pour battre le record de 2857 points de Wayne Gretzky, Georges aurait besoin de 117 137 matchs ou encore de 1429 années. Attention, Wayne, Georges arrive... et il est en feu !

JEAN PAGÉ

L'animateur de *110 %* a beau être un ancien de Radio-Canada et n'avoir visiblement jamais joué au hockey, ça ne l'empêche pas d'en sortir des bonnes !

« Moi aussi, j'ai écouté un bout à la radio, et c'était pas beau à voir. »

Dans la catégorie « On sait même pas ce qu'il voulait dire » :
« Y a pas que Price qui faut qui se suce. »

NDJM : C'est donc ça qui l'a déconcentré toute l'année… Et ça explique pourquoi il était toujours couché à terre, replié tout croche sur lui-même. Bonne chance quand même, Carey : on a essayé, et c'est pratiquement impossible. Marc-Antoine n'a d'ailleurs pas pu terminer l'écriture de ce livre, car il est présentement hospitalisé avec le dos barré.

MARIE-CLAUDE SAVARD

Marie-Claude Savard est commentatrice sportive à l'émission *Salut, Bonjour !* (TVA).

« Phil Kessel des Bruins souffre d'un cancer qui frappe surtout les hommes. »

NDJM : Cancer des testicules. Ouin.

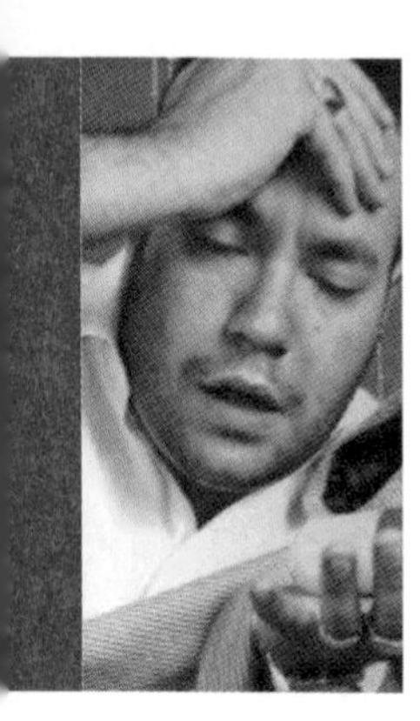

LA SITUATION DES JOUEURS QUÉBÉCOIS À MONTRÉAL

Seulement trois francophones, Benoît Brunet l'a affirmé, c'est « inacceptible ».

On dit que, pour être entraîneur-chef du Canadiens, il faut savoir parler anglais et français. Don Lever, entraîneur des Bulldogs d'Hamilton (pressenti pour ce poste), ne parle qu'anglais, mais se déclare prêt à apprendre le français rapidement. On a quelques trucs pour lui :

Premièrement, Don Lever, ça sonne trop anglophone. Donald, par exemple, c'est le nom d'un gars qui te paye une bière aux danseuses. Donc, Don Lever, tu devras devenir... Donald Léveillé !

Le premier mot que tu dois apprendre, c'est « poutine ». À ne pas confondre avec « putain ». Si tu veux savoir la différence entre les deux, on peut dire environ 90 $ et il y en a une qui a plus de fromage, l'autre moins de sauce. Laquelle ?

Ça dépend des fast-foods pis des coins de rues.

Bon, avouons que si t'apprends le français, tu vas comprendre les questions de Michel Villeneuve. Un à zéro pour l'unilinguisme anglophone.

Rassurons-nous sur une chose : on n'a peut-être pas beaucoup de joueurs francophones, mais au moins leur français est impeccable...

GUILLAUME LATENDRESSE : FUTUR CHRONIQUEUR SPORTIF

« Je vois ça du bon pied. »

« Y ont scoré, on a répond. Y ont encore scoré, on a encore répond. »

« C'est à nous de tourner la chance. »

LA DIFFÉRENCE ENTRE LES FANTÔMES DU FORUM ET LES JOUEURS ACTUELS DU CANADIENS

Les fantômes du Forum ont un drap sur la tête. Les joueurs actuels du Canadiens, eux, quand ils ont quelque chose sur la tête, c'est un manteau pour fuir les photographes pendant une descente dans un bar du centre-ville.

SECTION BONUS

Quelques phrases entendues au cours de reportages sportifs et dont on n'a pu vérifier la paternité, mais qui ont bel et bien été dites :

« On va perdre le Grand Prix à cause des argents et des pays ethniques. »

« L'arbitre n'avait d'autre choix que de lui asséner un carton rouge. »

« Sean Avery porte atteinte à l'intégralité du hockey. »

« Il y a moins d'échanges de plus en plus. »

« Ils ont étouffé le temps. »

« Il y avait bel et bien pas de but. »

« Il a manqué son repliement. »

« Tiger Woods étudie ce roulé avec minution. »

« Yan Danis a subi une blessure à un cou. »

CARBO, GAINEY ET LES RUMEURS D'ÉCHANGE AVEC DALLAS

Toute l'année, on n'a pas cessé d'entendre qu'étant donné les relations passées de Gainey et de Carbonneau avec Dallas, un échange était très probable entre les deux organisations. RI-DI-CULE ! Pour quelles raisons le Canadiens irait-il chercher un gars qui a joué dans un téléroman des années 1980 ? J. R. est beaucoup trop vieux pour nous aider en défense. Oui, il a un beau chapeau de cowboy, mais ce n'est certainement pas ça qui tue les punitions !

CHAPITRE FINAL

UN JOUR, LA VÉRITÉ VA SORTIR : TOUT SUR LES FRÈRES KOSTITSYN ET LA MAFIA

Il est enfin temps d'aborder ce dont tout le monde a parlé durant cette année du centenaire, de confirmer certaines rumeurs, bref, de faire la lumière sur le scandale de l'année : les liens entre les frères Kostitsyn et la mafia.

Vous n'en croirez pas vos yeux. Ça circulait depuis longtemps, mais ici, devant notre écran d'ordinateur, on peut maintenant vous écrire sans le moindre doute que... Euh... Marc-Antoine ? Pourquoi t'as un pointeur laser dans le fronnNnnnnnnnnnn aaaaaaahhahahhahah vjksdfvgjxcvcxv cmdkflxég... Chhhris HHHHHiggins.

NOTE DE L'ÉDITEUR

Nous remettrons les profits de ce livre aux familles des Justiciers Masqués.

BIOGRAPHIE DES JUSTICIERS MASQUÉS

Marc-Antoine Audette et Sébastien Trudel sont des inséparables depuis leur première année de secondaire au collège Jean-de-Brébeuf, à Montréal, où ils se sont rencontrés. Ils forment le duo les Justiciers Masqués en 1996 alors qu'ils écrivent pour le magazine *Safarir*. Une carrière incroyable s'amorce alors pour ces deux « p'tits gars » qui voulaient devenir respectivement avocat et journaliste.

C'est en 1999 qu'on les entend pour la première fois sur les ondes de CISM, la radio de l'Université de Montréal. Les Justiciers Masqués animent d'abord une émission d'affaires publiques, mais ils deviennent rapidement des humoristes, puisque aucun politicien ne veut leur parler – ce qui n'a pas changé depuis !

Ils sont ensuite embauchés par la défunte COOL FM 98,5 en 2000. Puis ils animent à NRJ une émission qui ne tarde pas à fracasser les cotes d'écoute. Le 1er avril 2002, ils piègent Bill Gates, fondateur de Microsoft. La nouvelle fait le tour du monde ; CNN en fait une de ses manchettes ; les Justiciers Masqués font leur entrée dans l'actualité internationale : *The Masked Avengers are born !*

Ils passent à CKOI la saison suivante et réalisent une série de coups dont on parle dans le monde entier et qui sont diffusés par des milliers de chaînes de radio et de télévision (CNN, ABC, NBC, FOX, CBS, France 2, TV5, NRJ France, pour n'en nommer que quelques-unes). Britney Spears, Steven Spielberg, Tiger Woods, Gérard Depardieu, Arnold Schwarzenegger, Janet Jackson, Paul McCartney, Mick Jagger, Jacques Chirac, Nicolas Sarkozy se retrouvent parmi leurs victimes !

À la fin de 2006, ils font la une partout au Québec en raison de la participation de l'ex-chef du Parti québécois, André Boisclair, à leur fameux sketch parodiant *Brokeback Mountain* et présenté durant leur émission de revue de fin d'année sur la chaîne Musi-Max.

En novembre 2008, à deux jours des élections américaines, ils appellent Sarah Palin, colistière de John McCain, en se faisant passer pour le président français Nicolas Sarkozy. Comme on dit en anglais, *the rest is history* ! Les Justiciers Masqués accordent plusieurs centaines d'entrevues en quelques jours et deviennent membres du club sélect des cinq nouvelles canadiennes dont on a le plus parlé dans l'actualité mondiale... Pas mal pour deux gars qui n'ont pas encore atteint la trentaine !

Ils quittent donc CKOI en juin 2009 après dix ans de radio pour se consacrer à leur premier spectacle sur scène, à des projets télévisuels et cinématographiques, ainsi qu'à la rédaction de deux livres.

Humoristes québécois les plus regardés sur Youtube, les Justiciers Masqués ont reçu plusieurs récompenses dont le Ruban d'or de la meilleure émission d'humour au Canada, les Nouveaux visages de l'an 2000 du magazine *Voir* dans la catégorie « médias » et le prestigieux prix des Meilleurs moments radiophoniques du millénaire de la BBC International. Ils ont publié trois livres, *Le Virus du Nul*, *Les mots dits du sport* et *Les mots dits de la téléréalité*, et ont à leur compte cinq albums, comprenant leurs meilleurs sketchs, des chansons originales et parodiées, sans oublier leurs célèbres coups téléphoniques.

Quelques remerciements pour leur apport à ce livre :

Pierre Trudel, Michel Pineault et Richard Z Sirois.

Merci à nos éditeurs, Marc-André Audet et Éric Poulin, de nous avoir permis ce défoulement général ! Et merci à notre gérant Michel Belleau (Mike B).

Merci pour leur soutien au cours des années à Paul Dupont-Hébert, Mario Cecchini, Philippe Lapointe, Charles Benoit, André Champagne, André St-Amand et Stéphane Laporte.

Et finalement, merci à nos familles, à nos amis et à nos conjointes...

SOURCES :
www.lesportnographe.com
La Presse
CKAC 730AM
RDS
CKOI